1551820172

中华人民共和国国家标准

石油化工液体物料铁路装卸车设施设计规范

Code for design of tankcar loading and unloading facilities liquid stocks in petrochemical industry

GB/T 51246-2017

主编部门：中国石油化工集团公司
批准部门：中华人民共和国住房和城乡建设部
施行日期：2018年4月1日

中国计划出版社

2017 北 京

中华人民共和国国家标准
石油化工液体物料铁路装卸车设施
设 计 规 范
GB/T 51246-2017

☆

中国计划出版社出版发行

网址：www.jhpress.com

地址：北京市西城区木樨地北里甲11号国宏大厦C座3层

邮政编码：100038 电话：(010)63906433（发行部）

三河富华印刷包装有限公司印刷

850mm×1168mm 1/32 1.75印张 41千字

2018年1月第1版 2018年1月第1次印刷

☆

统一书号：155182·0172

定价：12.00元

版权所有 侵权必究

侵权举报电话：(010)63906404

如有印装质量问题，请寄本社出版部调换

中华人民共和国住房和城乡建设部公告

第 1636 号

住房城乡建设部关于发布国家标准《石油化工液体物料铁路装卸车设施设计规范》的公告

现批准《石油化工液体物料铁路装卸车设施设计规范》为国家标准,编号为 GB/T 51246—2017,自 2018 年 4 月 1 日起实施。

本规范在住房城乡建设部门户网站(www.mohurd.gov.cn)公开,并由我部标准定额研究所组织中国计划出版社出版发行。

中华人民共和国住房和城乡建设部
2017 年 7 月 31 日

前　言

根据住房城乡建设部《关于印发〈2014年工程建设标准规范制订、修订计划〉的通知》（建标〔2013〕169号）的要求，规范编制组经广泛调查研究，总结国内石油化工液体物料铁路装卸车设施近十几年来的设计、建设和管理经验，借鉴国外相关标准，并在广泛征求意见的基础上，制定本规范。

本规范共分6章和1个附录，主要内容包括总则，术语，基本规定，装车设施，卸车设施，消防、安全卫生与环境保护等。

本规范由住房城乡建设部负责管理，由中国石油化工集团公司负责日常管理，由中石化广州工程有限公司负责具体技术内容的解释。执行过程中如有意见或建议，请寄送中石化广州工程有限公司（地址：广州市天河区体育西路191号A塔；邮政编码：510620），以供今后修订时参考。

本规范主编单位、参编单位、主要起草人和主要审查人：

主 编 单 位：中石化广州工程有限公司
参 编 单 位：中石化宁波工程有限公司
　　　　　　南京扬子石油化工设计工程有限责任公司
　　　　　　铁道第三勘察设计院集团有限公司
　　　　　　中石油新疆寰球工程公司
　　　　　　连云港佳普石化机械有限公司
主要起草人：王惠勤　程继元　何龙辉　华俊杰　张园园
　　　　　　陈雪阳　张东明　郭俊岭　赵小平　孙学双
　　　　　　王卫忠
主要审查人：杨　森　葛春玉　何跃华　戴　杰　唐　洁
　　　　　　王育富　王金良　周红儿　刘全桢　张玉海
　　　　　　殷　涛　莫崇伟　孙新宇　王龙海

目　次

1 总　　则 …………………………………………（ 1 ）
2 术　　语 …………………………………………（ 2 ）
3 基本规定 …………………………………………（ 3 ）
4 装车设施 …………………………………………（ 6 ）
5 卸车设施 …………………………………………（10）
6 消防、安全卫生与环境保护 ……………………（13）
　6.1 一般规定 ……………………………………（13）
　6.2 消防 …………………………………………（14）
　6.3 安全卫生 ……………………………………（14）
　6.4 环境保护 ……………………………………（15）
附录 A 计算间距的起止点 ………………………（17）
本规范用词说明 ……………………………………（18）
引用标准名录 ………………………………………（19）
附：条文说明 ………………………………………（21）

Contents

1 General provisions (1)
2 Terms (2)
3 Basic requirements (3)
4 Loading facilities (6)
5 Unloading facilities (10)
6 Fire fighting, safety and health, environmental protection (13)
   6.1 General requirements (13)
   6.2 Fire fighting (14)
   6.3 Safety and health (14)
   6.4 Environmental protection (15)
Appendix A Jumping-off point of account space between (17)
Explanation of wording in this code (18)
List of quoted standards (19)
Addition: Explanation of provisions (21)

1 总　　则

1.0.1 为规范石油化工液体物料铁路装卸车设施的工程设计,做到技术先进、经济合理、安全环保、保证质量,制定本规范。

1.0.2 本规范适用于石油化工、煤化工、陆上油气田工程、输油管道站场液体物料铁路装卸车设施的新建、扩建或改建工程设计。

1.0.3 石油化工液体物料铁路装卸车设施的设计除应执行本规范外,尚应符合国家现行有关标准的规定。

2 术　　语

2.0.1 装卸鹤管　loading and unloading arm
用于铁路装卸石油化工液体物料的成套组件。

2.0.2 鹤位　loading and unloading position
鹤管装卸作业的位置，一个鹤位对应一个装卸车车位。

2.0.3 隔离车　isolation tankcar
用于机车和液体物料罐车之间起到安全隔离的车辆。

2.0.4 零位罐　zero level tank
最高储油液面接近或低于附近的地面，用于缓存自流卸车液体物料的储罐。

2.0.5 汇液管　pooled liquid pipeline
自流卸车中用于汇集多个鹤管所卸液体物料的管道。

2.0.6 导液管　transporting liquid pipeline
将汇液管的液体物料导入零位罐的管道。

2.0.7 整体道床　integral ballast bed
用混凝土整体灌筑而成的铁路道床。

2.0.8 罐车车列的车辆数　the number of series railway tankcar
单批可能到达装卸车设施的最多液体物料罐车数。

2.0.9 日作业批数　batch of loading and unloading railway tankcar per day
每座装卸栈台每天装卸车作业的次数。

3 基本规定

3.0.1 铁路装卸车设施的年操作天数应取 350d。

3.0.2 液体物料罐车装满系数的取值应根据液体物料的类别确定,并应符合下列规定:

1 甲$_A$类及液氨液体物料,宜取 0.80～0.85;
2 甲$_B$类、乙类和丙$_A$类可燃液体,宜取 0.90;
3 丙$_B$类可燃液体,宜取 0.95;
4 Ⅰ级～Ⅳ级职业性接触毒物,宜取 0.90;
5 Y_1～Y_9类酸碱盐溶液,宜取 0.85;
6 当一种介质分属不同类别时,罐车装满系数应取较低值。

3.0.3 铁路罐车的计算长度宜取 12m,特种车辆应按实际罐车长度确定。

3.0.4 每辆罐车容积宜取 60m^3,特种车辆应按实际容积确定。

3.0.5 一种液体物料运输量大于或等于 $100×10^4$ t/a 时,鹤位宜按双侧单独布置;当采用小鹤管时,单侧装卸车栈台及鹤位数宜按罐车车列的车辆数的一半设置。

3.0.6 双侧装卸车栈台宜同时作业,同时操作时作业批数应按一批计,不同时操作时应按分批计。

3.0.7 日作业批数应符合下列规定:

1 装车栈台的日作业批数不应大于 4 批;
2 卸车栈台的日作业批数不应大于 5 批;
3 同台装卸的日作业批数不宜大于 4 批;
4 不同液体物料不同时操作时,每种液体物料的日作业批数不宜大于 1 批。

3.0.8 不同运输量的每种液体物料铁路装卸不均衡系数 K 的取

值应符合表 3.0.8 规定。

表 3.0.8 不同运输量的每种液体物料铁路装卸不均衡系数 K 的取值

运输量(t/a)	小于 5×10^4	大于或等于 5×10^4，且小于或等于 50×10^4	大于 50×10^4	
			装车	卸车
K	2.5～3.0	1.5～2.0	1.2～1.3	1.2～1.6

3.0.9 每批车的净装卸车时间宜为 2h～3h。

3.0.10 装卸车栈台的台面距铁路轨顶的高差宜为 3.4m～3.6m。

3.0.11 液体物料铁路装卸线中心线与液体物料装卸栈台边缘的距离应符合下列规定：

1 自轨面算起 3m 及以下不应小于 2.00m；

2 自轨面算起 3m 以上不应小于 1.85m。

3.0.12 液体物料铁路装卸线中心线与无栈台一侧的其他建筑物或构筑物的距离应符合下列规定：

1 露天场所不应小于 3.50m；

2 非露天场所不应小于 2.44m。

3.0.13 装卸作业区内的道路边缘与铁路线路中心线的距离不应小于 3.75m。

3.0.14 液体物料大鹤管装车应采用定量装车，小鹤管装车宜采用定量装车，并均宜采用动态轨道衡进行计量校核。

3.0.15 甲$_A$类可燃液体、极度危害及高度危害的职业性接触毒物应采用密闭装车工艺。甲$_B$、乙$_A$类可燃液体宜采用密闭装车工艺。

3.0.16 汽油、石脑油、航煤、溶剂油、芳烃或其他性质类似的液体物料装车应采用液下密闭装车鹤管，并应采取油气处理措施。

3.0.17 密闭装车鹤管与罐车冒口的密封压力不应小于 5kPa。

3.0.18 油气回收设施的设计应符合现行国家标准《油品装载系统油气回收设施设计规范》GB 50759 的相关规定。

3.0.19 液体物料装卸车总管道的介质流速不应大于 4.5m/s。

3.0.20 润滑油装卸车栈台应单独设置，并应采取防尘、防雨及防污染的措施。

3.0.21 液化烃、液体硫黄和液体沥青应选用专用鹤管。

3.0.22 液体物料铁路装卸车栈台与其铁路装卸线路宜采用横列式布置方式。当受到地形条件限制时,可采用纵列式布置。

3.0.23 装卸车栈台按纵列式布置时,两栈台相邻装卸鹤位之间的距离不应小于24m。

3.0.24 栈台上第一个鹤位至股道直线段的始端距离不应小于罐车长度的一半,装卸车作业线上罐车列的始端车位车钩中心线至前方铁路道岔警冲标的安全距离不应小于31m;终端车位车钩中心线至装卸线挡车器的安全距离不应小于20m。

4 装车设施

4.0.1 装车设施的规模应根据日平均装车量、日作业批数、罐车容积及其装满系数、每批装车辆数和铁路装卸不均衡系数等因素确定。

4.0.2 液体物料日装车作业辆数应按下式计算：

$$n = \frac{G \cdot K}{\tau \cdot \rho \cdot V \cdot A} \tag{4.0.2}$$

式中：n——日装车作业辆数（辆/d）；

G——年装车量（t/a）；

K——铁路装卸不均衡系数，K 取值见本规范表 3.0.8；

τ——年操作天数（d/a）；

ρ——操作温度下的液体密度（t/m³）；

V——罐车容积（m³/辆）；

A——罐车装满系数，A 的取值见本规范第 3.0.2 条。

4.0.3 液体物料每批装车辆数应按下式计算：

$$n_1 = \frac{n}{m} \tag{4.0.3}$$

式中：n_1——每批装车辆数（辆/批）；

m——日作业批数（批/d），m 的取值见本规范第 3.0.7 条。

4.0.4 装车栈台座数计算值应按下式计算：

$$N = \frac{n_1}{n_2} \tag{4.0.4}$$

式中：N——装车栈台座数计算值（座）；

n_2——牵车设备牵引的车辆数（辆/批）。

4.0.5 牵车设备牵引的车辆数取值应符合下列规定：

  1 小鹤管单侧装车栈台宜取罐车车列的车辆数的一半,双侧装车栈台宜取罐车车列的车辆数;

  2 大鹤管单侧装车栈台应取小爬车等牵引设备牵引的车辆数,双侧装车栈台应取小爬车等牵引设备牵引的车辆数的2倍。

4.0.6 装车栈台座数的确定应符合下列规定:

  1 当 N 值的小数部分大于0.75时,应取整数部分加1;

  2 当 N 值的小数部分大于0.50,且小于或等于0.75时,宜取整数部分加1;

  3 当 N 值的小数部分大于0.25,且小于或等于0.50时,应取整数部分加0.50。

4.0.7 鹤位数的确定应符合下列规定:

  1 大鹤管单侧栈台的鹤位数宜与装车栈台座数相同,双侧栈台的鹤位数宜为装车栈台座数的2倍;

  2 小鹤管的鹤位数应取每批装车辆数 n_1,液化烃、轻质油品和重质油品不宜少于5个,职业性接触毒物和酸碱盐腐蚀性液体物料不宜少于2个。

4.0.8 装车栈台的设置应符合下列规定:

  1 性质相近或相似的液体物料可同台布置;

  2 液化烃、轻质油品和重质油品宜单独设置装车栈台;当不同时操作时,液化烃与轻质油品可同台布置;

  3 职业性接触毒物和酸碱盐腐蚀性液体物料宜单独设置装车栈台;

  4 装车栈台座数计算值的小数部分小于或等于0.75时,宜根据物料性质和实际情况联合组台布置。

4.0.9 鹤位的布置应符合下列规定:

  1 装车鹤位宜按双侧布置;

  2 大鹤管装车栈台每侧宜设置1个鹤位;当两种物料同台装车时,一个鹤位可设两个鹤管;

  3 每个鹤位小鹤管数量不宜超过3个,同种物料的鹤管宜布置在同侧；

  4 每个鹤位的鹤管之间的距离应满足鹤管操作、检维修和旋向的要求；

  5 在不影响产品质量的情况下，性质相近的液体物料可共用鹤管。

4.0.10 小鹤管装车栈台长度的确定应符合下列规定：

  1 栈台端头至鹤管的净距不应小于3m；

  2 同侧同种物料鹤管间距应按罐车长度确定。

4.0.11 大鹤管装车栈台长度不应小于2.5辆铁路罐车的长度。

4.0.12 装车栈台的宽度应符合下列规定：

  1 小鹤管双侧装车栈台宽度宜为2m～3m，单侧宽度不应小于1.5m；

  2 大鹤管单侧装车栈台宽度不应小于2.5m；双侧宽度不宜小于4.0m，走道的宽度可取1.5m～2.0m。

4.0.13 装车栈台设棚或设库时应符合下列规定：

  1 在历年平均年降水量大于1000mm或最热月月平均最高气温高于或等于32℃的地区，装车栈台应设棚；

  2 航空汽油和喷气燃料的装车栈台应设防止雨雪侵入罐车的棚；

  3 润滑油装车栈台宜设库或棚；

  4 不允许水及灰尘落入的液体物料宜设库。

4.0.14 露天的装车栈台上应设操作间。

4.0.15 装车栈台主管道和易凝固、易结晶析出的液体物料的鹤管处管道上应设置扫线接口。

4.0.16 沥青、渣油、蜡油等高粘度、高凝固点的液体物料的装车管道应采取防凝措施。

4.0.17 有可能超压的液体物料管道应采取防止超压措施。

4.0.18 自然地形高差可利用时宜采用自流装车工艺，并应符合下列规定：

1 液体物料流量应能满足装车时间的要求；

2 鹤管出口的液体物料流速不得大于防静电所要求的控制流速；

3 自流装车管道应设置高点排气设施。

5 卸 车 设 施

5.0.1 卸车设施的规模应根据日平均卸车量、日作业批数、罐车容积及其装满系数、每批卸车辆数和铁路装卸不均衡系数等因素确定。

5.0.2 液体物料卸车栈台日卸车作业辆数应按下式计算：

$$n_3 = \frac{G_1 \cdot K}{\tau \cdot \rho \cdot V \cdot A} \qquad (5.0.2)$$

式中：n_3——日卸车作业辆数（辆/d）；
G_1——年卸车量（t/a）。

5.0.3 液体物料每批卸车辆数应按下式计算：

$$n_4 = \frac{n_3}{m} \qquad (5.0.3)$$

式中：n_4——每批卸车辆数（辆/批）。

5.0.4 卸车栈台座数计算值应按下式计算：

$$N_1 = \frac{n_4}{n_2} \qquad (5.0.4)$$

式中：N_1——卸车栈台座数计算值（座）。

5.0.5 卸车栈台座数的确定应符合下列规定：
  1 当 N_1 值的小数部分大于 0.75 时，应取整数部分加 1；
  2 当 N_1 值的小数部分大于 0.50，且小于或等于 0.75 时，宜取整数部分加 1；
  3 当 N_1 值的小数部分大于 0.25，且小于或等于 0.50 时，应取整数部分加 0.50；
  4 当 N_1 值的小数部分小于或等于 0.25 时，宜取整数部分。

5.0.6 鹤位数的确定应符合下列规定：

  1 液体物料卸车鹤位数应取每批卸车辆数 n_4；
  2 液体物料卸车鹤位数不应少于 2 个。
5.0.7 卸车栈台的设置应符合下列规定：
  1 性质相近或相似的液体物料可同台布置；
  2 液化烃、轻质油品和重质油品宜单独设置卸车栈台；当不同时操作时，液化烃与轻质油品可同台布置；
  3 职业性接触毒物和酸碱盐腐蚀性液体物料宜单独设置卸车栈台；
  4 卸车栈台座数计算值的小数部分小于或等于 0.75 时，宜根据物料性质和实际情况联合组台布置。
5.0.8 鹤位的布置应符合下列规定：
  1 卸车鹤位宜按双侧布置；
  2 每个鹤位小鹤管数量不宜超过 2 个，同种物料的鹤管宜布置在同侧；
  3 每个鹤位的鹤管之间的距离应满足鹤管操作、检维修和旋向的要求；
  4 在不影响产品质量的情况下，性质相近的液体物料可共用鹤管。
5.0.9 卸车栈台长度确定原则应符合本规范第 4.0.10 条的规定。
5.0.10 卸车栈台的宽度应符合下列规定：
  1 采用上卸方式时，双侧卸车栈台宽度宜为 2m～3m，单侧宽度不应小于 1.5m；
  2 采用下卸方式时，卸车栈台宽度宜为 1.5m～2.0m。
5.0.11 当采用上卸方式卸车时，可采用自吸泵、带潜没泵卸车鹤管、气相增压或真空引流等卸车工艺。
5.0.12 自然地形高差可利用时宜采用自流卸车工艺，并应符合下列规定：
  1 液体物料流量应能满足卸车时间的要求；

2 鹤管出口的液体物料流速不得大于防静电所要求的控制流速；

3 自流卸车应采用密闭下卸工艺流程。

5.0.13 自流下卸汇液管、导液管和过滤器的设计应符合下列规定：

1 汇液管变径时，应采用顶平偏心大小头；

2 汇液管应采取防溢、放空、扫线和防凝措施；

3 汇液管、导液管可埋地或管沟敷设，坡度不应小于8‰；

4 导液管管口应接至零位罐底部以上200mm处；

5 导液管上应设置过滤器及在线检修措施；

6 过滤器宜设置在汇液管和导液管的连接处。

5.0.14 零位罐的设置应符合下列规定：

1 零位罐的布置应充分利用自然地形，满足卸车栈台与零位罐的位差要求；

2 零位罐的总有效容积应大于或等于液体物料的一次卸车量；

3 零位罐的储罐附件设置应符合现行行业标准《石油化工储运系统罐区设计规范》SH/T 3007的有关规定；

4 每座零位罐宜设2台转输泵，单台转输泵的能力应满足在两次卸车的时间间隔内将零位罐内的液体全部转走的要求。

5.0.15 零位罐数量的设置应符合下列规定：

1 当一次卸车罐车数不大于13个时，应设置1座零位罐；

2 当一次卸车罐车数超过13个时，应增设零位罐；

3 同一卸车栈台接卸的液体物料品种多且不允许混合时，应分别设置零位罐；

4 双侧卸车栈台的零位罐可共用或互用。

5.0.16 下卸液体物料卸车栈台应设事故罐车上卸设备，事故罐车上卸设备应布置在卸车栈台的进车端。

5.0.17 铁路罐车加热用热媒的操作温度及压力不应超过罐车使用条件下的许用值。

6 消防、安全卫生与环境保护

6.1 一般规定

6.1.1 石油化工及煤化工企业的铁路装卸车设施的防火设计应符合现行国家标准《石油化工企业设计防火规范》GB 50160 的有关规定,陆上油田地面工程及输油管道站场的铁路装卸车设施的防火设计应符合现行国家标准《石油天然气工程设计防火规范》GB 50183 的有关规定。

6.1.2 液化烃、可燃液体等液体物料铁路装、卸车设施应采取防静电、防杂散电流和防雷措施。

6.1.3 装卸可燃液体物料鹤管垂管不应采用碰撞产生火花的材料。

6.1.4 铁路装卸车设施的管道设计除符合国家相关标准规范的规定外,还应符合下列规定:

  1 装车栈台管道设计应采取防止水击破坏的措施;

  2 表面温度大于或等于60℃的工艺设备及管道应采取防止人员烫伤的措施。

6.1.5 装卸栈台上清扫用软管接头间距宜为20m,软管宜采用防静电软管。

6.1.6 可燃气体和有毒气体检测报警器的设置应符合现行国家标准《石油化工可燃气体和有毒气体检测报警设计规范》GB 50493 的有关规定。

6.1.7 液化烃、可燃液体等液体物料铁路装、卸车设施的爆炸危险区域应按现行国家标准《爆炸危险环境电力装置设计规范》GB 50058 进行划分。

6.1.8 与液化烃卸车鹤管连接的液相管道上应设置单向阀。

6.1.9 零位罐至卸车铁路线路中心线的距离不应小于6m。

6.1.10 装卸车泵区与装卸车栈台的距离不应小于8m。

6.1.11 装卸车栈台及其附属建构筑物耐火极限不应低于3h。

6.1.12 铁路装卸设施应设置安全、消防、职业卫生警示标识。

6.1.13 防火间距起止点应符合本规范附录A的规定。

6.2 消 防

6.2.1 单侧铁路罐车装卸设施的消防水量不应小于30L/s,双侧铁路罐车装卸设施的消防水量不应小于60L/s,消防水最小供给时间不应少于2h。

6.2.2 铁路装卸车设施宜设泡沫枪灭火系统。泡沫枪灭火系统泡沫混合液量不应小于30L/s,连续供给时间不小于30min。泡沫灭火系统宜采用低倍数泡沫系统,泡沫液应采用环保型。

6.2.3 液化烃及可燃液体的铁路装卸栈台应沿栈台每12m处上、下分别设置两个手提式干粉型灭火器。

6.2.4 液化烃及可燃液体的铁路装卸栈台上应沿栈台每个鹤位配1条灭火毯。

6.2.5 铁路装卸车设施应设置火灾自动报警系统,并应符合现行国家标准《火灾自动报警系统设计规范》GB 50116的有关规定。

6.3 安全卫生

6.3.1 铁路装、卸车台进车端应设有指示装、卸作业是否完成的信号灯,其开关宜设在栈台上。

6.3.2 装车总管在进装车台前应设便于操作的紧急切断阀,该阀应在装车台外,与装车台边缘的距离不小于10m。

6.3.3 铁路装卸车设施应配备相应的个人劳动保护用品,个人劳动保护用品应符合现行国家标准《个人防护装备选用规范》GB/T 11651的相关规定。

6.3.4 浸没式鹤管垂管端口与罐车底的距离不宜大于200mm。

6.3.5 可燃液体装车流速宜按下式计算确定。当可燃液体物料装车鹤管出口未完全浸入液面之前,管口流速应限制在1m/s以内;装车鹤管出口完全浸入液面后,小鹤管出口流速不得大于7m/s,大鹤管的出口流速不得大于5m/s。

$$V \cdot D \leqslant 0.8 \qquad (6.3.5)$$

式中:V——液体物料流速(m/s);
　　　D——鹤管内径(m)。

6.3.6 装卸车栈台两端和沿栈台每隔60m左右应设安全梯,栈桥及安全梯的护栏不应低于1.2m。并应在装卸车栈台安全梯入口处设置人体静电消除器。

6.3.7 当物料输送管道上精密过滤器的出口至罐车口的流动时间小于或等于30s时,应在鹤管前安装静电消除器。

6.3.8 铁路装卸设施的钢轨、工艺管道、鹤管、钢栈桥等应做等电位跨接并接地,两组跨接间距不应大于20m,每组接地电阻不应大于10Ω。

6.3.9 铁路装卸车区的办公室、维修间、更衣室、休息室、厕所等辅助设施宜集中设置,其卫生设施的设计应符合现行国家标准《工业企业设计卫生标准》GBZ 1的有关规定。

6.3.10 极度、高度危害的职业性接触毒物及腐蚀性液体物料装卸车栈台上应设置紧急冲淋器,其间距不应大于60m,装卸车栈台的长度小于或等于60m时可设一套。

6.3.11 装车栈台宜采取事故上卸措施。

6.3.12 铁路装车设施的鹤位应设置防溢流报警探测器,现场应有声光报警装置,并能连锁停止装车作业。

6.3.13 装卸车设施的照明设计除应符合现行国家标准《建筑照明设计标准》GB 50034的有关规定外,并应配备自带蓄电池的应急照明防爆灯。

6.4 环境保护

6.4.1 液体物料的铁路装卸区的道床形式宜根据液体物料的性

质和环境保护要求确定。液体物料用铁路道床宜采用整体道床，当采用整体道床时，应符合下列规定：

  1 道床应能防渗且易于清理；

  2 道床两侧应设排水沟，排水沟宜采用可拆卸格栅盖板，污水应分类收集，集中处理。

6.4.2 丙类可燃液体、职业性接触毒物和腐蚀性液体物料装卸车栈台范围内的铁路道床应采用整体道床。

6.4.3 装卸栈台作业区域内的地面应铺砌。

6.4.4 液体物料装车时产生的有毒有害气体应进行回收或处理，禁止就地排放。大气污染物排放限值应符合现行国家标准《石油炼制工业污染物排放标准》GB 31570 和《石油化学工业污染物排放标准》GB 31571 的有关规定。

6.4.5 罐车下卸时，应采用密闭管道系统。

6.4.6 液体物料装卸车完成后，鹤管提出后的液相滴漏应采取收集处理措施。

附录 A 计算间距的起止点

设备——设备外缘；

建筑物（敞开或半敞开式厂房除外）——最外侧轴线；

敞开式厂房——设备外缘；

半敞开式厂房——根据物料特性和厂房结构形式确定；

铁路——中心线；

道路——路边；

鹤位——鹤管中心线；

泵区——露天或泵棚指设备外缘，泵房指最外侧轴线或门窗洞口的较近者。

本规范用词说明

1 为便于在执行本规范条文时区别对待,对要求严格程度不同的用词说明如下:

　　1）表示很严格,非这样做不可的:
　　　　正面词采用"必须",反面词采用"严禁";
　　2）表示严格,在正常情况下均应这样做的:
　　　　正面词采用"应",反面词采用"不应"或"不得";
　　3）表示允许稍有选择,在条件许可时首先应这样做的:
　　　　正面词采用"宜",反面词采用"不宜";
　　4）表示有选择,在一定条件下可以这样做的,采用"可"。

2 条文中指明应按其他有关标准执行的写法为:"应符合……的规定"或"应按……执行"。

引用标准名录

《建筑照明设计标准》GB 50034
《爆炸危险环境电力装置设计规范》GB 50058
《火灾自动报警系统设计规范》GB 50116
《石油化工企业设计防火规范》GB 50160
《石油天然气工程设计防火规范》GB 50183
《石油化工可燃气体和有毒气体检测报警设计规范》GB 50493
《油品装载系统油气回收设施设计规范》GB 50759
《个人防护装备选用规范》GB/T 11651
《工业企业设计卫生标准》GBZ 1
《石油炼制工业污染物排放标准》GB 31570
《石油化学工业污染物排放标准》GB 31571
《石油化工储运系统罐区设计规范》SH/T 3007

中华人民共和国国家标准

石油化工液体物料铁路装卸车设施
设计规范

GB/T 51246-2017

条文说明

编制说明

《石油化工液体物料铁路装卸车设施设计规范》GB/T 51246—2017,经住房城乡建设部2017年7月31日以第1636号公告批准发布。

本规范制订过程中,编制组进行了广泛的调查研究,总结了我国石油化工液体物料铁路装卸车设施近十几年的设计、建设、管理经验,同时参考了国外相关标准及规范的技术内容,并征求有关设计、施工、科研、管理等方面的意见,对其中主要问题进行多次讨论、协调,形成了本规范文稿。

为了便于广大设计、施工、科研、学校等单位有关人员在使用本规范时能正确理解和执行条文规定,《石油化工液体物料铁路装卸车设施设计规范》编制组按章、节、条顺序编制了本规范的条文说明,对条文规定的目的、依据以及执行中需注意的有关事项进行了说明。本条文说明不具备与规范正文同等的法律效力,仅供使用者作为理解和把握规范规定的参考。

目 次

3 基本规定 …………………………………………（27）
4 装车设施 …………………………………………（43）
5 卸车设施 …………………………………………（45）
6 消防、安全卫生与环境保护 ……………………（46）
　6.1 一般规定 ………………………………………（46）
　6.2 消防 ……………………………………………（46）
　6.3 安全卫生 ………………………………………（47）
　6.4 环境保护 ………………………………………（48）

3 基本规定

3.0.2 本条主要是将液化石油气的罐车装满系数扩大到甲$_A$类液体物料,并增加了Ⅰ级~Ⅳ级职业性接触毒物和Y_1~Y_9类酸碱盐溶液的罐车装满系数,根据对国内石油化工企业铁路罐车实际规定装满系数调研了解,并参照铁道部《铁路危险货物运输管理规则》(铁运〔2008〕174号)第十五章的第九十八条及第九十九条而规定甲$_A$类液体物料的罐车装满系数,宜取0.80~0.85;职业性接触毒物的铁路罐车装满系数,宜取0.90;酸碱盐腐蚀性溶液的铁路罐车的装满系数,宜取0.85。

一种介质具有多种属性分属不同类别时,从安全的角度规定其罐车装满系数取较低值。

(1)液化烃、可燃液体的火灾危险性分类举例见表1。

表1 液化烃、可燃液体的火灾危险性分类举例

类别		名 称
甲	A	液化氯甲烷,液化顺式-2丁烯,液化乙烷,液化反式-2丁烯,液化环丙烷,液化丙烯,液化丙烷,液化环丁烷,液化新戊烷,液化丁烯,液化丁烷,液化氯乙烯,液化环氧乙烷,液化丁二烯,液化异丁烷,液化异丁烯,液化石油气,液化二甲胺,液化三甲胺,液化二甲基亚硫,液化甲醚(二甲醚)
甲	B	异戊二烯,异戊烷,汽油,戊烷,二硫化碳,异己烷,己烷,石油醚,异庚烷,环戊烷,环己烷,辛烷,异辛烷,苯,庚烷,石脑油,原油,甲苯,乙苯,邻二甲苯,间、对二甲苯,异丙醇,乙醚,乙醛,环氧丙烷,甲酸甲酯,乙胺,二乙胺,丙酮,丁醛,三乙胺,醋酸乙烯,甲乙酮,醋酸乙酯,醋酸异丙酯,二氯乙烯,甲醇,异丙醇,乙醇,醋酸丙酯,丙醇,醋酸异丁酯,甲酸丁酯,吡啶,二氯乙烷,醋酸丁酯,醋酸异戊酯,醋酸戊酯,丙烯酸甲酯,甲基叔丁基醚,液态有机过氧化物

续表1

类别		名 称
乙	A	丙苯,环氧氯丙烷,苯乙烯,喷气燃料,煤油,丁醇,氯苯,乙二胺,戊醇,环己酮,冰醋酸,异戊醇,异丙苯,液氨,－35号轻柴油,－50号轻柴油
乙	B	轻柴油,硅酸乙酯,氯乙醇,氯丙醇,二甲基甲酰胺,二乙基苯
丙	A	重柴油,苯胺,锭子油,酚,甲酚,糠醛,20号重油,苯甲醛,环己醇,甲基丙烯酸,甲酸,乙二醇丁醚,甲醛,糠醇,辛醇,单乙醇胺,丙二醇,乙二醇,二甲基乙酰胺
丙	B	蜡油,100号重油,渣油,变压器油,润滑油,二乙二醇醚,三乙二醇醚,邻苯二甲酸二丁酯,甘油,联苯-联苯醚混合物,二氯甲烷,二乙醇胺,三乙醇胺,二乙二醇,三乙二醇,液体沥青,液硫,白油

注:1 本表摘自现行国家标准《石油化工企业设计防火规范》GB 50160—2008;
  2 增加了－35号轻柴油、－50号轻柴油、白油的分类举例。

(2)职业性接触毒物危害程度等级。

1)职业性接触毒物危害程度分为轻度危害(Ⅳ级)、中度危害(Ⅲ级)、高度危害(Ⅱ级)、极度危害(Ⅰ级)4个等级。

2)职业性接触毒物分项指标危害程度分级和评分按表2的规定,毒物危害指数计算公式如下:

$$THI = \sum_{i=1}^{n}(k_i \cdot F_i) \quad (1)$$

式中:THI——毒物危害指数;

  k——分项指标权重系数;

  F——分项指标积分值。

3)职业性接触毒物危害程度的分级范围:

轻度危害(Ⅳ级):$THI<35$;

中度危害(Ⅲ级):$35 \leqslant THI<50$;

高度危害(Ⅱ级):$50 \leqslant THI<65$;

极度危害(Ⅰ级):$THI \geqslant 65$。

表 2 职业性接触毒物分项指标危害程度分级和评分依据

分项指标		极度危害	高度危害	中度危害	轻度危害	轻微危害	权重系数
积分值①		4	3	2	1	0	
急性吸入 LC_{50}	气体 (cm^3/m^3)	<100	≥100,且<500	≥500,且<2500	≥2500,且<20000	≥20000	5
	蒸气 (mg/m^3)	<500	≥500,且<2000	≥2000,且<10000	≥10000,且<20000	≥20000	
	粉尘和烟雾 (mg/m^3)	<50	≥50,且<500	≥500,且<1000	≥1000,且<5000	≥5000	
急性经口 LD_{50} (mg/kg)		<5	≥5,且<50	≥50,且<300	≥300,且<2000	≥2000	1
急性经皮 LD_{50} (mg/kg)		<50	≥50,且<200	≥200,且<1000	≥1000,且<2000	≥2000	1
刺激与腐蚀性		pH≤2 或 pH≥11.5；腐蚀作用或不可逆损伤作用	强刺激作用	中等刺激作用	轻刺激作用	无刺激作用	2
致敏性		有证据表明该物质能引起人类特定的呼吸系统致敏或重要脏器的变态反应性损伤	有证据表明该物质能导致人类皮肤过敏	动物试验证据充分,但无人类相关证据	现有动物试验证据不能对该物质的致敏性做出结论	无致敏性	2

续表 2

分项指标	积分值	极度危害 4	高度危害 3	中度危害 2	轻度危害 1	轻微危害 0	权重系数
生殖毒性		明确的人类生殖毒性:已确定对人类的生殖能力、生育效应或发育造成有害效应的毒物,人类母体接触后可引起子代先天性缺陷	推定的人类生殖毒性:动物试验明确,但对人类生殖毒性作用尚未确定因果关系,推定对人的生殖能力或发育产生有害影响	可疑的人类生殖毒性:动物试验明确或毒性明确,但无人类生殖毒性资料	人类生殖毒性:现有证据或资料不足以对毒物的生殖毒性做出结论	无人类生殖毒性:动物试验阴性,人群调查结果未发现生殖毒性	3
致癌性		Ⅰ组,人类致癌物	ⅡA组,近似人类致癌物	ⅡB组,可能人类致癌物	Ⅲ组,未归入人类致癌物	Ⅳ组,非人类致癌物	4
实际危害后果与预后		职业中毒病死率≥10%	职业中毒病死率<10%;或致残(不可逆损害)	器质性损害(可逆性),重要脏器损害,脱离接触后治愈	仅有接触反应	无危害后果	5
扩散性(常温或工业使用时状态)		气态	液态,挥发性高(沸点<50℃);固态,扩散性极高(使用时形成烟或尘)	液态,挥发性中(50℃≤沸点<150℃);固态,扩散性高(细微而轻的粉末,使用时可见尘雾形成,并在空气中停留数分钟以上)	液态,挥发性低(沸点≥150℃);固态,晶体、粒状固体,扩散性中,使用时能见到粉尘但很快落下,使用后粉尘留在表面	固态,扩散性低(不会破碎的固体、块),使用时几乎不产生粉尘	3

续表 2

分项指标	极度危害	高度危害	中度危害	轻度危害	轻微危害	权重系数
积分值	4	3	2	1	0	
蓄积性（或生物半减期）	蓄积系数（动物实验，下同）<1；生物半减期≥4000h	1≤蓄积系数<3；400h≤生物半减期<4000h	3≤蓄积系数<5；40h≤生物半减期<400h	蓄积系数>5；4h≤生物半减期<40h	生物半减期<4h	1

1. 急性毒物分级指标以急性吸入毒性和急性经皮毒性为分级依据。无急性吸入毒性数据的物质，参照急性经口毒性分级。无急性经皮毒性数据且不经皮吸收的物质，无急性经皮毒性分级。无急性经皮毒性数据、但可经皮肤吸收的物质，参照急性吸入毒性分级。
2. 强、中、轻和无刺激作用的分级依据 GB/T 21604 和 GB/T 21609。
3. 缺乏蓄积性、致癌性、致敏性、生殖毒性、无实际危害后果资料，无实际危害后果的物质，该分项指标暂按极度危害赋分。
4. 工业使用在五年内的新化学品，该分项指标暂按极度危害赋分；工业使用在五年以上的物质，无实际危害后果资料，该分项指标暂按轻微危害赋分。
5. 一般液态物质的吸入毒性按蒸气类划分

①1cm³/m³=1ppm；ppm 与 mg/m³ 在气温为20℃，大气压为101.3kPa(760mmHg)的条件下的换算公式为：1ppm=24.04/Mr mg/m³，其中 Mr 为该气体的分子量

注：本表摘自现行国家标准《职业性接触毒物危害程度分级》GBZ 230—2010。

（3）常见酸碱腐蚀性溶液对建筑材料的腐蚀性等级见表3。

表3 常见酸碱腐蚀性溶液对建筑材料的腐蚀性等级

介质类别	介质名称	pH值或浓度	建筑材料的腐蚀性等级		
			钢筋混凝土、预应力混凝土	水泥砂浆、素混凝土	烧结砖砌体
Y_1	无机酸	硫酸、盐酸、硝酸、磷酸(pH值)	<4.0	强	强	强
Y_2			4.0~5.0	中	中	中
Y_3			5.0~6.5	弱	弱	弱
Y_4		氢氟酸(%)	≥2	强	强	强
Y_5	有机酸	醋酸、柠檬酸(%)	≥2	强	强	强
Y_6		乳酸、C_5-C_{20}脂肪酸(%)	≥2	中	中	中
Y_7	碱	氢氧化钠(%)	>15	中	中	强
Y_8			8~15	弱	弱	强
Y_9		氨水(%)	≥10	弱	微	弱

注：1 表中的浓度系指质量百分比，以"%"表示；
　　2 本表仅列入与本规范有关的石油化工液体物料，其分类参照现行国家标准《工业建筑防腐蚀设计规范》GB 50046—2008编制。

(4)常见液化介质的重量充装系数见表4。

表4 常见液化介质的重量充装系数

充装介质种类	重量充装系数值 $\Phi(t/m^3)$
液氨	0.52
液氯	1.20
液态二氧化硫	1.20
丙烯	0.43
丙烷	0.42
混合液化石油气	0.42
正丁烷	0.51
异丁烷	0.49
丁烯、异丁烯	0.50
丁二烯	0.55

3.0.3、3.0.4 目前,国内投入使用的铁路罐车大部分长度在9m至13m之间,容积50m³至70m³,根据过去设计与生产的经验,平均车长取12m,罐车容积取60m³基本可以满足实际需要。但仍有一些特殊车型如GY80SK、GY80K、GY95SK、GY95AK、GHA70、GYA70S、GYA70AS、GYA70A、GYC70S、GYC70、GQ80和GN80等罐车需按实际车长和容积进行设计。根据与国内某车辆有限公司进行技术交流,进一步统计了解了在役的铁路油罐车规格及未来发展,并对铁路罐车主要规格进行了补充完善,详见表5。

表 5 铁路罐车主要规格

序号	型号	装运典型介质	自重(t)	载重(t)	罐体内径(mm)	罐体长度(mm)	车辆宽度(mm)	车辆高度(mm)	容积(m^3)	钩舌内侧距离(mm)	车顶走板至轨面距离(mm)	端梁上平面至轨面距离(mm)	车辆定距(mm)	罐体中心距轨面距离(mm)
1	G11K	浓硫酸、液碱	20.7	酸63 碱54	2200	10300	2912	3927	38.3	11988	3339	1088	7300	2275
2	G11BK	精碱	19.4	54.9	2200	10300	2912	3924	48.98	11988	3340	1089	7300	2276
3	G11JK	液碱	21.1	62.5	2600	9680	2912	4263	49	11988	3679	1085	7300	2469
4	G15SK	浓硫酸	20.7	63	2200	9700	2912	3923	36	11988	3339	1088	7300	2275
5	G17SK	石脑油	22.5	53	2800	10410	2950	4477	62	11988	3897	1078	7300	2565
6	G60K	轻油	21	53	2800	10410	2912	4481	62	11988	3897	1086	7300	2573
7	G70K	轻油	20.4	62	3000	10700	3020	4515	72	11988	4015	1088	7500	2573
8	G17BK	粘油	20.8	63	3000	10420	3020	4515	70	11988	4016	1088	7500	2574
9	G75K	轻油	20.8	62	3000	11050	3292	4512	78	11988	4028	1088	7850	2596
10	G17K	粘油	22.8	57	2800	10410	2950	4381	62	11988	3897	1086	7300	2573
11	G17DK	轻油	22.8	53	2800	10410	2950	4381	62	11988	3897	1086	7300	2573
12	G60XK	乙二醇	21.9	60	2800	10384	2912	4384	61	11988	3906	1087	7300	2574
13	G60LBK	乙二醇	18.9	64.5	2800	10612	3062	4503	57.8	11988	3905	1080	7300	2589
14	GFAK	盐酸	19.7	62	2600	10600	2912	4416	53.7	11988	3763	1089	7300	2506

续表 5

序号	型号	装运典型介质	自重(t)	载重(t)	罐体内径(mm)	罐体长度(mm)	车辆宽度(mm)	车辆高度(mm)	容积(m^3)	钩舌内侧距离(mm)	车顶走板至轨面距离(mm)	端梁上平面至轨面距离(mm)	车辆定距(mm)	罐体中心距轨面距离(mm)
15	GY80SK	液化石油气、液氨	35.2(LPG) 37.2(NH_3)	33.8(LPG) 41.8(NH_3)	2800	13548(NH_3) 13544(LPG)	3196	4521(LPG) 4524(NH_3)	80.4	16138	3856(LPG) 3857(NH_3)	1083(LPG) 1084(NH_3)	10700	2483(LPG) 2484(NH_3)
16	GY80K	液化石油气、液氨	33.5(LPG) 35.5(NH_3)	33.8(LPG) 41.8(NH_3)	2800	13548(NH_3) 13544(LPG)	3196	4521(LPG) 4524(NH_3)	80.4	15044	3856(LPG) 3857(NH_3)	1083(LPG) 1084(NH_3)	10356	2483(LPG) 2484(NH_3)
17	GY95SK	液化石油气、丙烯	40.9	40.3	2800	16066	3196	4515	96	18538	3901	1080	13100	2581
18	GY95AK	液化石油气、丙烯	38.9	40.3	2800	16066	3196	4516	96	17308	3902	1081	12670	2582
19	GQ70	轻油	23.6	70	3050~3150	11100	3320	4494	80.3	12216	4076	1083	8050	2557
20	GN70	粘油	23.8	70	3000~3100	11240	3320	4466	78.1	12216	4048	1082	8050	2529

续表 5

序号	型号	装运典型介质	自重(t)	载重(t)	罐体内径(mm)	罐体长度(mm)	车辆宽度(mm)	车辆高度(mm)	容积(m³)	钩舌内侧距离(mm)	车顶走板至轨面距离(mm)	端梁上平面至轨面距离(mm)	车辆定距(mm)	罐体中心距轨面距离(mm)
21	GJ70	液碱	23.8	70	2600~2650	10500	2939	4317	54.3	12016	3733	1082	7500	2492
22	GS70	浓硫酸	23	70	2200~2250	10500	2939	3969	39.2	12016	3385	1083	7500	2293
23	GHA70	醇类	23.8	70	3050~3162	12330	3320	4493	90.1	13446	4075	1082	9280	2550
24	GH70A	乙二醇	24.4	69	2800~2850	11300	3212	4458	67.6	12466	3984	1080	8000	2594
25	GH70B	冰醋酸	25.8	68	2800~2850	11300	3212	4458	67.6	12466	3984	1080	8000	2594
26	GL70	沥青	26	67	3000~3050	10280	3258	4554	69.2	12016	4148	1080	7500	2552
27	GQ70A	苯类	23.8	70	3050~3150	11100	3320	4494	80.3	12216	4076	1083	8050	2557
28	GN70A	对二甲苯	23.7	67	3000~3100	11240	3320	4466	78.1	12216	4048	1082	8050	2529

续表 5

序号	型号	装运典型介质	自重(t)	载重(t)	罐体内径(mm)	罐体长度(mm)	车辆宽度(mm)	车辆高度(mm)	容积(m³)	钩舌内侧距离(mm)	车顶走板至轨面距离(mm)	端梁上平面至轨面距离(mm)	车辆定距(mm)	罐体中心距轨面距离(mm)
29	GW70	食用油	26.7	67	2800~2856	12500	3212	4464	75.5	13566	3990	1080	9100	2597
30	TG1	偏二甲肼	38	52	2800	12546	3175	4730	74.4	16498	4092	1080	10332	—
31	GYA70S	碳5、轻石脑油、丁烷、异丁烷、丁烯、异丁烯、丁二烯	34.7	碳5、轻石脑油58、丁烷53、异丁烷51、丁烯、异丁烯54、丁二烯57	3004	15150	3280	4583	103.6	17736	4009	1081	12320	2574
32	GYA70	碳5、轻石脑油、丁烷、异丁烷、丁烯、异丁烯、丁二烯	33.1	碳5、轻石脑油58、丁烷53、异丁烷51、丁烯、异丁烯54、丁二烯57	3004	15150	3280	4584	103.6	16656	4010	1082	11990	2575

续表 5

序号	型号	装运典型介质	自重(t)	载重(t)	罐体内径(mm)	罐体长度(mm)	车辆宽度(mm)	车辆高度(mm)	容积(m³)	钩舌内侧距离(mm)	车顶走板至轨面距离(mm)	端梁上平面至轨面距离(mm)	车辆定距(mm)	罐体中心距轨面距离(mm)
33	GYA70AS	液化石油气、丙烯、丙烷	44.6	48	3006	16648	3280	4592	113.8	19216	4023	1077	13800	2578
34	GYA70A	液化石油气、丙烯、丙烷	43.1	48	3006	16648	3280	4593	113.8	18116	4024	1078	13450	2579
35	GYC70S	液氨	42	51	3004	14348	3280	4594	97.6	16916	4024	1078	11500	2579
36	GYC70	液氨	40.5	51	3004	14348	3280	4595	97.6	15816	4026	1079	11150	2581
37	GQ80	轻油	25.6	80	3100~3250	12140	3270	4572	93.7	13136	4184	1095	8970	2569
38	GN80	粘油	26.7	80	3100~3200	11776	3306	4610	84.2	13306	4169	1095	9140	2597
39	GHA70A	对二甲苯	31.5	65	3060	10768	3196	4684	75.4	12400	4200	1083	7684	2721
40	GHB70	黄磷	23.8	70	2300~2350	10460	2962	4175	42.6	12016	—	—	7500	—

续表 5

序号	型号	装运典型介质	自重(t)	载重(t)	罐体内径(mm)	罐体长度(mm)	车辆宽度(mm)	车辆高度(mm)	容积(m³)	钩舌内侧距离(mm)	车顶走板至轨面距离(mm)	端梁上平面至轨面距离(mm)	车辆定距(mm)	罐体中心距轨面距离(mm)
41	GYA70B	液化天然气、液化乙烷	51.3	41	2940	17502	3250	4420	114.2	20226	—	1080	15150	2730
42	GYA70C	液化天然气、液化乙烷	52.4	40	2940	17082	3250	4420	111.4	20916	—	1080	15150	2730

注：1 序号1,2,3,4,14,21,22未设置呼吸式安全阀；
2 序号15～18车型的设计压力为2.16MPa，安全阀整定压力为2.35MPa；
3 序号30车型的设计压力为0.35MPa，安全阀整定压力为0.375MPa；
4 序号31,32车型的设计压力为1.38MPa，安全阀整定压力为0.76MPa；
5 序号33,34车型的设计压力为1.91MPa，安全阀整定压力为2.35MPa；
6 序号35,36车型的设计压力为2.16MPa，安全阀整定压力为2.05MPa；
7 序号41,42车型的设计压力为0.6MPa，安全阀整定压力为0.63MPa；
8 其他序号车型，设置呼吸式安全阀：呼出整定压力150kPa±15kPa或100kPa±15kPa；吸入整定压力1.5kPa～2kPa。

3.0.5 由于《铁路专用线与国铁接轨审批办法》(铁道部令第21号)铁运函〔2007〕714号中的第二条第3款中规定"年运量100万吨及以上、品类单一的新建铁路专用线,其装卸线应设计为贯通式,并具备整列装卸、整列到发的技术条件,采用机械化、自动化装卸机具",在石油化工企业或石油库的铁路装卸车设施工程设计中,一些项目的铁路专用线设计不分运量大小,均将装卸线设计为贯通式,并要求具备整列装卸、整列到发。

石化企业的现状比较复杂,液体物料铁路出厂品种繁多,运量又大小不一,且铁路线路资源受限,无法满足《铁路专用线与国铁接轨审批办法》(铁运函〔2007〕714号)中关于贯通式、整列装卸及整列到发等的相关要求。

另外,整列罐车不能保证车型、车长相同,采用整列装卸及整列到发会存在以下问题:

(1)小鹤管装卸车时罐车对位难度大,甚至造成无法对位,严重影响装车效率,延长了装卸车作业时间,增加了企业负担,需向铁路部门交纳罐车的滞留费;

(2)无法垂直对位时,鹤管密封盖与罐车灌装口密封不严,造成部分油气就地泄漏,污染环境,导致油气回收装置无法正常运行;

(3)小宗液体物料装卸设施会造成铁路资源及投资浪费。

综上所述,与铁路设计单位充分沟通,特对运输量及装卸车台长度进行限制并做出本条规定。

3.0.8 铁路装卸不均衡系数主要与介质的运输量有关,另外还与建厂地区的路况、产品销售情况等有关,影响因素较多,确定起来比较困难。运输量较大且可保证一条龙运输的介质的铁路装卸不均衡系数不小于1.2,运输量较小且不能保证整条龙运输的介质的铁路不均衡系数,一般取1.5~3.0。

3.0.10 随着新型铁路罐车G19、GLB、GY40、GY95A等的数量不断增多,可按实际情况适当提高栈台高度。

3.0.11 现行国家标准《标准轨距铁路机车车辆限界》GB 146.1—83、《标准轨距铁路建筑限界》GB 146.2—83、《铁路车站及枢纽设计规范》GB 50091—2006 以及铁道部部令《中华人民共和国铁路技术管理规程》中,对标准轨距铁路中心线距两侧建、构筑物边缘的距离做了明确规定。《石油库设计规范》GB 50074—2002 修订时就此问题与铁道部建设管理司进行了协调,"新建和扩建的铁路油品装卸栈桥边缘与铁路油品装卸线的中心线的距离,自轨面算起 3m 及以下不应小于 2m,3m 以上不应小于 1.85m"的规定是协调的结果。这样修改对铁路罐车装卸车作业影响不大,且能解决与铁路部门的矛盾,经多年来的实际检验,证明这样的规定是可行的,因此本规范规定与现行国家标准《石油库设计规范》GB 50074—2014 的规定保持一致。

3.0.16 采用密闭装车可避免或减少人身伤害,有利于环境污染的治理,虽然一次投资较高,但总体效益还是比较显著的。只有采用密闭装车系统,才可能设置油(废)气回收设施,更有效地保护环境,减少浪费。

3.0.22 横列式布置的液体物料铁路装卸车栈台与铁路装卸线路具有设备集中、管理方便、作业灵活性大等优点,缺点是对狭长地形适应性差;纵列式布置的液体物料铁路装卸车台与铁路装卸线路能较好地使用并利用狭长地形,缺点是装卸车栈台之间作业时相互影响。横列式布置详见图 1,纵列式布置详见图 2。

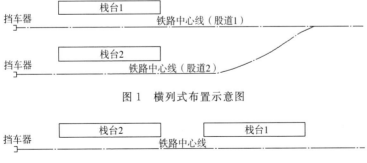

图 1 横列式布置示意图

图 2 纵列式布置示意图

3.0.23 装卸车栈台按纵列式布置时,为了提高装卸车效率和批次,避免装卸车栈台间出现事故的相互影响,确保本质安全,因此规定两栈台相邻装卸鹤位之间要设置长度不小于12m长度或隔离车,确保相邻装卸鹤位之间不小于24m。

3.0.24 如果装卸线直线段始端至栈台第一鹤位的距离小于罐车长度的1/2时,由于第一鹤位的罐车部分停在曲线上,不利于此罐车的对位和插取鹤管操作;对于有一条以上装卸线的装卸区,机车在送取、摘挂罐车后,其前端至前方警冲标应留有供机车司机向前方及邻线瞭望的9m距离,以保证机车安全地退出。终端车位车钩中心线至装卸线车挡间20m的安全距离,主要是考虑在装卸过程中发生罐车着火时,将着火罐车后部的罐车后移所需的安全距离。同时有此段缓冲距离,也利于罐车车列的调车对位,以及避免发生罐车冲出车挡的事故。

4 装车设施

4.0.7 通过对国内7个大型石油化工企业的现有铁路装卸车设施现状调研,了解到液化烃、轻质油品和重质油品的鹤位数不少于5个,职业性接触毒物和酸碱盐腐蚀性溶液装车的鹤位数一般不少于2个。因此规定液化烃、轻质油品和重质油品每批装车的罐车数不大于5个的,按5个鹤位设置;职业性接触毒物和酸碱盐腐蚀性溶液每批装车的罐车数不大于2个的,按2个鹤位设置。

4.0.8 本条主要是根据不同液体物料的性质、质量要求和对环境污染的程度不同而规定的。性质不同的液体物料,同时进行装车作业要求单独设台;性质不同的液体物料当不同时操作时,可以考虑同台布置;不同时操作且批量较小时,可考虑同车位布置。

4.0.9 大鹤管装车栈台一般采用双侧台,通常情况下,每侧布置一个鹤管,当两种物料同台装车时,可在同侧设两个鹤管,鹤管之间的距离需确保能使鹤管正常工作。

小鹤管装车台一般也采用双侧台,每侧的鹤管数不超过半列车的辆数。不同物料同台布置时,规定分别设置鹤管,每个车位可设不超过3个不同物料的鹤管,为了方便操作运行,同种物料的鹤管规定布置在同侧;受条件限制,当需用一个鹤管装两种及两种以上的物料时,要确保每种物料的质量。

4.0.13 在降水量大的地区,如果雨季露天装卸,液体物料的质量和装车量将得不到保证。一般以年降水量在1000mm以上的地区作为多降水地区。这些地区多数集中在长江以南(辽宁、山东和河南少数地区年降水量也可达1000mm),这些地区的具体情况可以从气象资料中查到。炎热地区设棚,对减少液体物料蒸发损耗和改善操作条件是必要的。

4.0.17 停止装车后,管道两端阀门关闭,管道系统呈密闭状态。如为裸管,夏天受日光曝晒,管内介质温度升高,引起体积膨胀,将产生很高的内压力。在生产现场因温升造成鹤管、阀门的密封件被破坏而泄漏的事故很多。因此,规定对有可能超压的液体物料管道要采取泄压措施。具体的泄压措施方案和设置的具体位置,根据介质和管道的具体情况而定。

5 卸车设施

5.0.4、5.0.5 在计算液体物料卸车栈台规模时,还要考虑列车组列、调车作业、牵引设备能力等方面的综合影响。

5.0.6 在实际生产中,铁路罐车每批次同品种物料来车的数量一般不小于2辆,因此,规定小批量液体物料卸车鹤位计算值小于2个的,要设置不少于2个鹤位以满足卸车作业。

5.0.7 本条是根据不同液体物料的性质、质量要求和对环境污染的程度不同而规定的。性质不同的液体物料,同时进行卸车作业时,来车频次较高,同台布置影响卸车能力,因此规定不能同台,当不同时操作时,来车频次相对较低,规定可考虑同台布置;不同时操作且批量较小时,来车的频次更低,规定共用鹤位布置。

5.0.14 为了提高下卸速度和铁路罐车周转率,零位罐的有效总容量不小于一次卸车的总容量减去在卸车时间内转输泵所能转走的液体量。由于一般转输泵流量不大,为保证在转输泵发生事故时也能卸下一次卸车的液体总量,所以规定零位罐有效罐容量要大于或等于液体物料一次卸车的体积。

零位罐的储罐附件的设置需要根据介质性质、罐型和操作条件等设置,现行行业标准《石油化工储运系统罐区设计规范》SH/T 3007中有关储罐附件配置的规定已经非常清楚了,在此不再重复规定,执行该规范即可满足要求。

5.0.16 下卸口失灵不能下卸的罐车称为事故车。根据对石油化工企业现状的调研,已很少遇到事故车辆,即使个别时候有,一列车最多有1辆~2辆事故车,因此,规定设置1个~2个事故车位,完全可以满足临时上卸的需要。

6 消防、安全卫生与环境保护

6.1 一般规定

6.1.2 国家现行的有关防静电、防杂散电流和防雷标准包括《防止静电事故通用导则》GB 12158、《建筑物防雷设计规范》GB 50057、《石油化工装置防雷设计规范》GB 50650、《液体石油产品静电安全规程》GB 13348 以及《石油化工静电接地设计规范》SH 3097 的有关要求。此外有地方标准的,液化烃、可燃液体等液体物料铁路装、卸车设施防静电、防杂散电流和防雷的设计还要满足地方标准的要求。

6.1.4 本条条文说明如下。

1 在装车作业结束时,阀门突然关闭,往往会造成管内液体产生水击现象而对阀门及设备造成影响。当流速和管道长度一定时,延长阀门的关闭时间是减轻水击的常用方法。通常采用三位阀或并联一小阀,以达到缓冲的目的。

2 装卸车栈台上,操作人员经常操作部位,凡表面温度大于或等于 60 ℃的工艺设备及管道规定采取防止人员烫伤的措施,以确保人员安全。

6.1.8 为了避免液化烃卸车过程中,各罐车因不同步作业,导致罐车内压力不平衡,与鹤管连接的管道上的切断阀未及时切断时,容易产生未卸罐车中的物料返窜到已卸的罐车中,特规定与鹤管连接的液相管道上要设置单向阀避免液化烃倒流。

6.2 消 防

6.2.2 铁路装卸车设施中泡沫灭火系统是否设置及如何设置,相关的现行国家标准《石油化工企业设计防火规范》GB 50160 和《石油库设计规范》GB 50074中都很模糊,未给出具体规定。为了统一铁路装卸车设施泡沫灭火系统的设置,确保装卸车设施的本质安全,根据现行国家标准《泡沫灭火系统设计规范》GB 50151中的相关规定,特对泡沫液类型、强度和供应时间做出明确规定。

6.2.4 液化烃及可燃液体的铁路装卸栈台,由于静电或雷电影响,会导致罐车冒口处发生火灾事故。了解到出现这类火灾时,现场操作人员曾利用工作服、抹布等盖住罐车冒口进行灭火,均取得一定的灭火效果。因此规定沿栈台每鹤位配1条灭火毯,方便紧急情况下就近灭火使用。

6.3 安全卫生

6.3.1 为了防止在梯子未拉起、鹤管未复位,因联系不好即调出罐车,导致刮坏装卸车台设备,甚至造成人身伤害等事故发生,因此规定进车端要设有指示装、卸作业是否完成的信号灯,并要求其开关要设在栈台上。

6.3.4 选用浸没式鹤管插到罐车底部进行装卸车有以下优点:

(1)可以避免液柱流经车体空间中部时形成电容最小、电位最高的局面;

(2)在装车后期液面电位达到最大值时,液面上部无突出的接地体,可避免局部电场增高(如果鹤管在液面上部而并不与液面接触时,由于鹤管是良好的接地体,突出在有电荷的液面上部将会造成液面上部空间场强畸变);

(3)可避免因液柱集中下落,在局部范围内形成较高的电荷密度;

(4)减少喷溅及泡沫而相应减少新产生的电荷;

(5)减少液体的雾化及蒸发,可避免在可燃液体低于闪点温度发生电火花时的点燃。

6.3.5 本条规定主要是为了避免装车流速过大,产生过高的静电电位和能量积聚,引起火灾事故。

6.3.10 装卸栈台上主要通过个人劳动防护用品来防止有毒有害物料进入眼睛或与皮肤接触,设置紧急冲淋器及洗眼器是辅助措施。此外,通常一个操作工人可以管理5台罐车,每台罐车长度按12m考虑,因此将相邻紧急冲淋器及洗眼器的间距定为60m比较合适。

6.3.11 本条主要是针对目前在国内一些石油化工企业存在铁路装卸车设施自动控制水平较低,既无定量装车系统,又无高液位报警系统,超载或冒车的现象时有发生,在没有卸车和普洗等设施的企业,超载的事故车没有办法减载。

6.3.12 为了避免冒罐和超装等现象的发生,特规定增设定量装车系统或高液位报警系统。

6.4 环境保护

6.4.1 液体物料在装卸车时难免有跑、冒、滴、漏,使地面及周围环境污染,渗透到道碴中还容易引起火灾,流淌到路基上会导致调车作业和线路维修困难。采用整体道床可避免上述事故的发生,但采用整体道床要综合考虑以下几点:

(1)由于整体道床整体性强,要求地基无局部下沉,对不良地基要进行有效处理;

(2)在整体道床两侧规定设置污水分类收集,集中处理设施,排水设施应是防渗漏的,以防引起湿陷;

(3)整体道床投资比普通道床高约50%~200%。

6.4.2 丙类可燃液体一旦泄漏,易渗透到道碴中且难以清理,未及时清理时又容易造成安全隐患,影响生产恢复和诱发火灾;职业性接触毒物出现泄漏易造成对地下水的污染,不便清理,还易造成更大的人身伤害;腐蚀性液体物料泄漏后易造成装卸区腐蚀损坏。

为了防止丙类可燃液体、职业性接触毒物和腐蚀性液体物料铁路装卸区的安全运行,将泄漏后造成的环境污染和人身伤害降到最低,特规定装卸车栈台范围内的铁路道床要采用整体道床。